中国书法培训教程

颜真卿《颜勤礼碑》

楷书教程

（修订本）

◉ 武道湘 编著

（全国优秀出版社）

天津人民美术出版社

图书在版编目(CIP)数据

中国书法培训教程／武道湘　等编.— 天津:天津人民
美术出版社,2004.4
ISBN 7—5305—2503—4

Ⅰ.中… Ⅱ.武… Ⅲ.汉字 — 书法 — 教材
Ⅳ.J292.1

中国版本图书馆 CIP 数据核字(2004)第 026460 号

天津人民美术出版社出版发行
(天津市和平路马场道150号)
邮 编:300050　　电话:(022)23283867
出 版 人:刘建平
责任编辑:任红伏　　技术编辑:戴克毅
湖北新华印务有限公司印刷　　新华书店天津发行所经销
开 本:889 × 1194 mm　1/16　　印 张:5.5
版 次:2004年5月第1版　　第1次印刷
2007 年 4 月第 2 次印刷

印 数:00001—10000
书 号:ISBN7-5305-2503-4/J·2503　　定价:19.80 元
图书服务热线:(0)13035117960　电子信箱:shufa58@163.com
本书若有印装质量问题,请与承印厂联系调换

　　《中国书法培训教程》是由来自教学第一线的书法名家，精心编写的一套通俗、实用、由浅入深的入门级丛书。它适合各中、小学及书法学校的教学使用，也是广大书法爱好者入门的向导。

　　学习书法的目的在于实际运用，本书从实用性出发，注重基础学习，鼓励创作。全书分楷书、隶书、行书三部分。楷书、隶书、行书部分以名家原拓本为蓝本，经过筛选、归类及特殊的技术处理后，翻制成墨迹，并配以米字格，帮助读者深刻理解并且掌握字形结构以及笔画定位。

　　为了配合书法培训教学和初学者自学，在编排结构上，遵从循序渐进的原则，先对各章节中范字的用笔特点、结字规律和书写宜忌作较为详细的临习指导，再针对不同形式的书法作品的结体规律、章法布局、落款方法及钤印位置等做了详细的理论、创作指导。楷书、隶书、行书部分的各章中所附有的词语书写练习，是从柳公权《玄秘塔碑》、《神策军碑》，颜真卿《颜勤礼碑》，颜真卿《多宝塔》，欧阳询《九成宫醴泉铭》，《曹全碑》以及王羲之《兰亭序》中选字集结而成，且这些碑帖历来都是中国书法初学者的首选范本。

　　广大书法爱好者在临习名家碑帖的同时，其实也是在进行书法练习，为进一步进行书法创作奠定了基础。通过使用本套丛书，相信你会在书法的理论上和实践中获益匪浅！

天津人民美术出版社

目　录

第一章　概　述

第一节　颜真卿及其作品简介

颜真卿（公元709—785年），琅琊临沂（今山东省临沂县）人，唐代中期杰出的书法家。颜真卿的一生，是壮丽的一生。他出身贫困，开元中进士，由于秉性刚直，为奸相杨国忠所不容。安史之乱时，颜独守平原郡，他首举义旗，被推为十七郡盟主，抵抗叛军。平乱后，颜入京，官至吏部尚书，太子太师，封鲁郡开国公。后颜真卿奉旨到叛军李希烈行营进行安抚，正气凛然，劝其归顺，被叛军杀害，屈死贼手，享年76岁。一代名臣、巨星殒落，天动容，人皆悲。

颜真卿从小热爱书法艺术，青年时，两度辞官从师于草圣张旭，苦学书法，在深研"如锥画沙、如印印泥"的过程中逐渐形成自己的风格。同时在魏晋及初唐书法的基础上，融入篆、草用笔方法，变方为圆，结字开阔。在书法上开创一代新风，成为继王羲之后的第二颗最亮的书法艺术之星，王以行书绝，颜以楷书盖世。唐代楷书登峰造极，大家辈出，颜真卿是其中的领头人。

颜真卿的楷书，不求小处的巧妙，字形宽绰丰满，拙笔中，内涵雄伟、秀丽，横画劲瘦，左右竖画略向内弯成环抱之势，撇捺粗壮，与横画形成鲜明的对比，波磔的起收有隶书的蚕头雁尾之势，布局茂密凝重，笔饱墨酣，完全突破了初唐楷书的规范，而暗合古法，形成独特的艺术风格，把唐楷推上艺术的顶峰。同时颜真卿把雄伟豪壮的气势融入楷书，又极其贴合时代风格。

颜真卿的书法艺术可分三个阶段。第一阶段为五十岁之前，以继承传统为主，特点为清雄坚韧，代表作为《多宝塔碑》、《东方朔画赞》。五十至六十岁之间是颜书的成熟期，创立崭新的颜体，特点为开阔雄浑，代表作有《鲜于氏离堆记》、《颜勤礼碑》等。在这一时期的《祭侄稿》有"天下第二行书"的美誉，与王羲之的《兰亭序》齐名，其实《祭侄稿》无法之法，真率天然，远胜《兰亭序》。六十岁以后是颜真卿书法艺术的臻妙绝顶的时期，《麻姑仙坛记》、《大唐中兴颂》以及《裴将军诗》就是其晚期的登峰之作。

《颜勤礼碑》是颜真卿六十岁时为他的曾祖父颜勤礼撰写的神道碑，是颜书成熟期的代表力作。此碑44行，每行38字。其用笔之劲健、爽利，已到炉火纯青的地步。尤其是颜楷中最富特征的长撇、长捺、长竖，皆是蚕头雁尾之势，稳健天成。竖画直行直下，挺拔峻劲，横画收笔重按，出钩时必先收锋，捺画也在末端先收后放，转折多用暗转。颜字结体一反初唐的中间紧缩而笔势开张，挤满方格，内松外紧，边竖中部外凸成"（ ）"，向内成抱势，因而显得宽舒圆满，雍容大度。

本书范字就是从《颜勤礼碑》中精选而来，并经过修整，既保持颜书原作的风貌，又便于初学者临习。

第二节　书写姿势

毛笔的认识

毛笔由笔杆和笔头组成。

笔杆多用竹管制作，要直，形圆，粗细适中，轻重适宜。笔毛多由动物的鬃毛制作，由于笔毛的种类不同，可分硬毫（狼毫）、软毫（羊毫），兼毫（狼、羊毫混合）三大类，按笔毛的长短可分为长锋、中锋、短锋。初学楷书以大楷长锋羊毫为宜。

好笔必须达到以下几点：笔杆要直，粗细适中，锋毫要尖，手压毫尖要锋齐，笔毫中部略鼓，成橄榄状，且有一定的弹性。

笔毛部分包括笔根、笔肚、笔锋三部分。笔根部分与笔杆部分相连，不可贮墨与书写；笔肚部分主要用来贮墨；笔锋部分用于书写。

毛笔的选择须遵循"大字用大笔、小字用小笔"的原则，宁可大笔写小字，不可小笔写大字。毛笔每次用过之后应顺着锋毫用清水洗净，恢复原状后再悬挂起来以备下次使用。

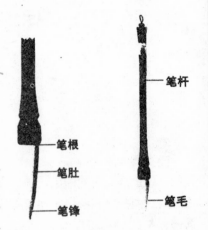

笔杆

笔根

笔肚

笔锋

笔毛

执笔

书写中执笔位置应在笔杆的中部，写大字可偏上，写小字可偏下，写3～5cm的字居中执笔。

正确的执笔应遵循以下原则：1. 笔杆垂直，以求锋正；2. 指实掌虚，运笔自如；3. 腕肘悬起；4. 执笔不可太紧。

执笔方法有多种，现多采用五指执笔法。简单说就是：拇指按住笔管内侧，食指压住笔管的外侧，与拇指相对；中指勾住笔管的左侧；无名指顶住笔管的右侧，与中指上下相对；小指在无名指的下方，帮助无名指用力。

姿势

写字的姿势有坐姿与立姿两种，坐姿宜写中、小字或小幅作品，立姿用于书写大字或大幅作品。

坐姿的要求：上身正直，胸不贴桌，背不靠椅，两肩要平，两脚分开平放于地，双肘外拓，左手压纸，右手执笔，笔杆要正，且与右眼对正。

立姿的要求与坐姿基本相同，只是身体可略向前倾，腰部不要挺得太直，全身略为放松，且左手压纸，但不能用力过大以支撑身体。

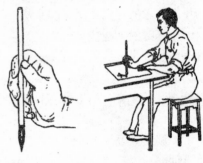

执笔　　　　　坐姿

说明

本书为颜体楷书的入门级教程，为适应广大读者学习书法的需要而编写。全书共分为概述、笔画、部首、结构、布势、作品等六大部分。以范字为主，加以简单的图示、说明，图文并重并遵循由浅入深、先易后难、循序渐进的原则，以便于教学与自学。

本书所选范字，从《颜勤礼碑》中选出，并翻制成墨迹而成。

第二章 笔画

笔画可分为基本笔画和由基本笔画变形或组合而成的笔画两大类。楷书中的每一个笔画,都包含走笔、行笔与收笔三个过程。这三个过程的具体要求是:

逆锋起笔 楷书笔画的起笔(即笔画的开始部分)多为逆锋折转起笔,形较方。即"欲右先左,欲下先上"。落笔方向与笔画走向相反。

中锋行笔 (行笔部分即笔画的中段,为主体部分)起笔后折笔调锋,转为中锋,书写至笔画的末端。

回锋收笔 (收笔部分即笔画的末端)行至末端,应将笔锋回转,藏锋于笔画内,将笔提起离纸,结束书写。收笔也有出锋的,出锋收笔要稳,要厚实,锋从中出。

关于楷书的基本用笔方法:

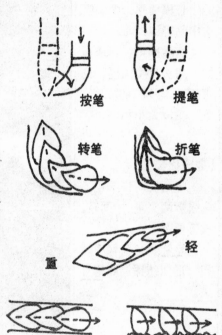

提笔与按笔——提、按为用笔的上下运动。引笔向上谓提,在行笔中笔画由粗变细;除收笔外,笔锋不可完全提起离纸。将笔下按谓按笔,在行笔中笔画由细变粗。提按是互相对立而又互相依存,借以改变笔画的粗细形状,但在运笔中不可猛提死按而破坏运笔的规律。

转笔与折笔——转、折是改变运笔方向的两种方法。在转折处,锋尖基本不动,笔锋部分折转而改变方向,外形显方而外突,谓折笔。锋尖随着整个笔锋部分回旋圆转,外形显圆的,谓转笔。

轻重——用力的大小,也是笔画粗细的内在表现。笔画粗即重,笔画细即轻。

涩行与疾笔——涩行指笔杆微向后倾,用力缓缓向前推行,多用于长画的行笔,有意增大笔与纸的磨擦阻力,便于运气使力,达到"力透纸背"的效果。疾笔多用于出锋收笔,速度快,出锋迅速,干净利落。

中锋与偏锋—— 行笔过程中,笔锋始终保持在笔画的中间部分,笔毫铺开,笔画两边如界,笔画圆润饱满,谓之中锋。反之,笔锋在笔画的一侧,笔画一侧光滑一侧毛糙的,谓之偏锋。

第一节 基本笔画

基本笔画一般有以下八种:横画、竖画、撇画、捺画、钩画、折画、挑画与点画。其中横、捺、挑等笔画从左至右书写,为横向笔画;竖、撇从上至下书写,为纵向笔画;折画由横与竖组合而成,为合成笔画;钩画的钩部皆附于其它笔画的末端,不能独立出现,为附属笔画;点画为横、竖内缩而无行笔,为浓缩笔画。

基本笔画在书写中,注意写好起、行、收三个过程,且三个过程要连贯,一气呵成,中途不可随意停顿。同时还要注意各种笔画的各自形状、轻重、长短、曲直以及方向的不同。

（1）横的写法

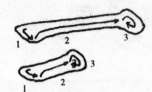

长横

短横

1. 起笔——向左轻落笔后折向右下重按。
2. 行笔——转向右，中锋行笔。
3. 收笔——长横收笔，斜按后转向左收，形似椭圆，短横收笔形可方可圆。

（2）竖的写法

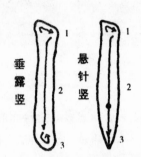

垂露竖　　悬针竖

1. 起笔——向上轻落笔后折向右重按。
2. 行笔——转向下中锋行笔，垂露竖中段较细，悬针竖中段粗壮。
3. 收笔——垂露竖轻顿后回锋向上，悬针竖顺势向下出锋。

【横画比较】

　　长横要平，两头粗重中间轻细；

　　短横即可将长横写短，两头重中间轻，也可用力均匀，起、行、收，三段大小相近。

【竖画比较】

　　竖画要写得端正。垂露竖两头重、中间轻，收笔要圆。

　　悬针竖两头轻中间粗，形似纺锤；收笔宜尖。

【书写提示】

　　"三"字，短横略斜，起收方圆用笔各不相同。

　　"下"字，竖画略偏左，点靠上。"上"字竖画也略偏左，短横较细。

　　"王、十、士"三个字竖画居中，左右对称，长横平正，首尾皆重。

　　"王"字中竖用垂露；"十"字中竖用悬针，中间粗壮；"士"字中竖头重，行笔由粗到细。

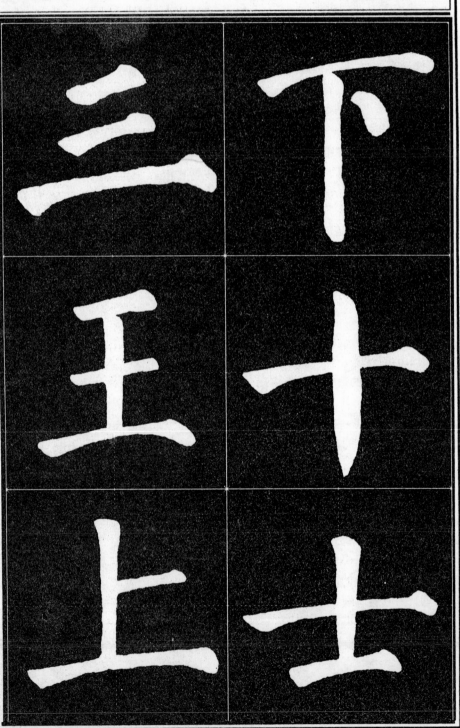

（3）撇的写法

 短撇

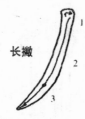 长撇

长撇写法与竖画相同，只是微向左弯，中段略细。短撇起笔要重，收笔仍应保持中锋，形直，斜向左下，由重到轻，收笔要尖，用力撇出。

（4）捺的写法

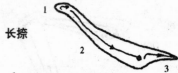 长捺

1. 起笔——顺时针方向圆轻轻起。
2. 行笔——向右下边行边按，逐渐加粗，形微弯。
3. 收笔——折向右后，平向右边提边收，收笔要尖，要平。

【撇画特点】

长撇长而细，行笔用力均匀，单用（如"左、在"字）时形斜而微弯；与捺相对（如"大、天"字）时上段宜正，后段弯度较大。

短撇起笔粗壮，多用圆笔，形较圆，这是颜体短撇的重要特征。

【捺画特点】

捺画一波三折，形如扫，收笔成雁尾状；出锋要平，切忌土翘。

【书写提示】

"仕"字形方，笔画均匀。

"左、在"字外形近似三角形，"工、土"略向右偏移，底横稍长且平。

"大、天"二字撇画略偏左，捺画粗壮有力，尽力向右伸展。

"人"字撇细、直、短，捺画为主，由左至右占满全格。

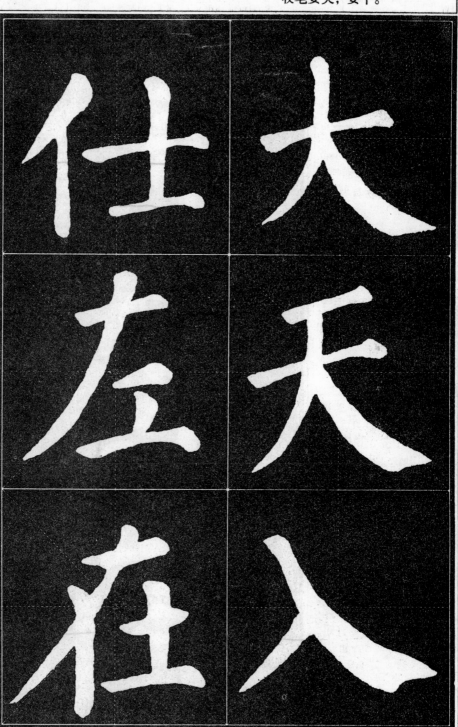

（5）折的写法

横折

1. 横部与横画的写法相同，不收笔。
2. 折部，写法与竖的起笔相同，形大，多为斜方形，或方中带圆。
3. 竖部与折部连写，即为竖，写法同竖。

（6）钩的写法

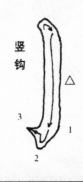

竖钩

△ 竖部写法与竖画相同，不收笔。钩部（也就是竖钩的收笔）

1. 向左下斜顿，要重。
2. 回锋向上，稍停。
3. 转向左上勾出，出钩方向可平向左，也可斜向左上，但决不可斜向左下。

【折画特点】

横折是横后连竖，由横、竖合成。书写时，也可先横，然后连写竖。折部大多高于横，向外突出；横、竖皆劲直有力，且横画较细，竖画粗壮有力。

【钩画特点】

竖钩的竖部可直（竖钩居中为主，左右对称，如"未"字），可微弯（竖钩居右，如"行"字）。

【书写提示】

"中、里、聿、未"等字，中竖（竖钩）正直、劲挺，左右对称，"中"字折部宜方、"聿"折部略圆。

"行、何"二字左右应向中靠拢，右横皆在左撇头下右方起笔，以免与撇画发生冲突，"口"部尽力向上靠拢，下面宜空，左竖宜短，左竖钩宜长、宜粗。

（7）点的写法

右向点

1. 起笔——顺时针方向转向右下重按。
2. 紧接起笔，向右下移动位置后继续重按，加长点画。
3. 收笔——转向左上，圆转从点内提起。

（8）挑的写法

长挑

1. 起笔——逆时针方向，向右下重按。
2. 行笔——转向右，向右上中锋行笔，边行边提，笔画由粗变细。
3. 收笔——紧接行笔，顺势出锋，宜尖。

【点画特点】

右向点形似"瓜籽"，全用圆笔，左边微向内凹，皆成圆（弯）势。范字"主、云、六、太"四个字中的点画都是右向圆点。此种弯形圆点也是颜体笔画的特征。

【挑画特点】

长挑起笔与长横相似，只是更粗壮，更圆而下垂。整体外形正好与短撇相反，直而粗壮厚重，行笔与收笔连成一气。

【书写提示】

"主、六、太、云"四字左右基本对称。

"主"字横画较短，形宜窄；"六、云"二字长横为主，要长而平，形宜短；"太"字，长捺为主，长撇略偏左。

"以"字左小右大，形扁，点画带挑尖，指向撇画起笔。"理"字左窄右宽，"里"端正。

第二节　变化笔画

　　颜体笔画，除八个基本笔画以外，其余都是由基本笔画变化而来。变化的方法有两大类：

　　一是基本笔画的形态变化：如"竖弯、弯钩"为竖、竖钩的弯曲变形；"左、右尖横，大、小头竖，角折"则是横、竖首尾的变化；而"斜钩、竖弯钩、直撇、竖撇、侧捺"等笔画，则是原基本笔画的曲直及倾斜程度的变化。

　　二是基本笔画的组合变化：如"横折钩，横折弯钩"等，是由两个或两个以上基本笔画的前后组合成新的笔画；"相对点、顺向点、横三点、两对点"等，则是多点组合。

　　这些笔画不论怎样变化，笔画的基本写法是不变的。

（1）左、右尖横

　　1. 右尖横。起笔同横，行笔由粗到细，收笔要轻。

　　2. 左尖横。笔画由细变粗。

（2）大、小头竖

　　写法与竖画基本相同。

　　1. 大头尖。由粗到细，收笔要轻。

　　2. 小头尖。由细到粗，顺锋向下轻起。

（3）竖折

　　1. 先竖后横，竖尾连横。竖画微弯，略向右斜。

　　2. 折部为横画起笔。

(4) 撇折

①撇后连挑，写法分别与撇、挑相同。

②撇画短则重而直（如"公"字），撇画长则轻而微弯（如"玄"字）。

③折部即挑的起笔。

(5) 竖弯

①由竖画弯曲变形而来。

②前段与竖相同，形较正，中段圆转，略轻。

③后段要平，收笔与横画相同，宜轻。

(6) 左右短折

①外形及写法与竖弯相似。

②中部折转，形较方。

③收笔宜轻，形略成尖形。

(7) 角折

1. 起笔形同圆点，顺锋向下重按后，圆转向右带长挑。

2. 收笔形同点撇，重按后，转向左下撇出。

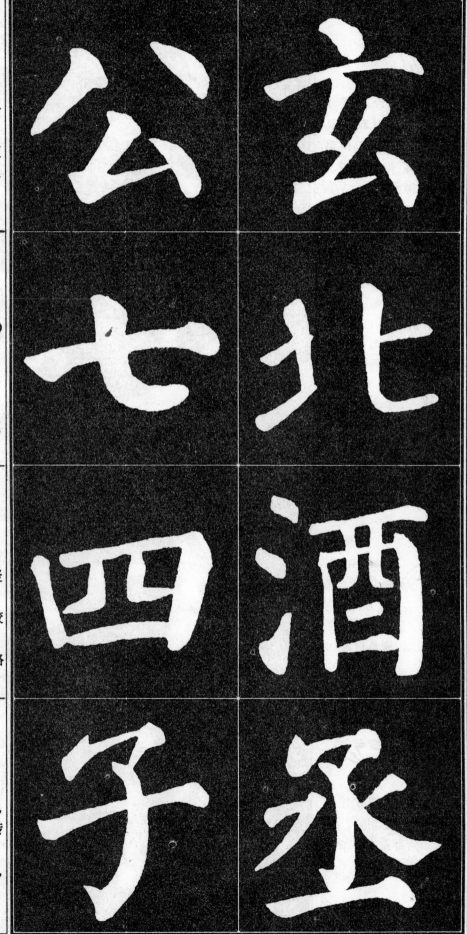

（8）横撇

①横后连撇。

②横、撇都比较轻细。

③横较直，折部可方可圆微微突出；撇长略弯，后段稍粗。

（9）横折、折撇

①两个横撇上下连写。

②上撇短而直，下撇长而弯。

③折部。上折方而大，下折多圆转，略轻。

（10）斜折（撇点）

①撇后连长形点。

②撇短、直、粗壮；长点微弯，圆收笔，长撇相交点与短撇首对正。

(11) 横钩

①长横末端带钩，写法与长横基本相同。

②钩部重按，形大而圆，回锋后向左下勾出。

(12) 竖提

① 竖的末端连挑。

② 竖画正直，由粗渐细。

③ 挑画出头，可另起笔，行笔斜向右上，劲直。

(13) 斜钩（戈钩）

① 斜弯向右下。

② 中段或后段稍粗。

③ 出钩斜向上。

(14) 横弯钩（心钩）

1. 顺锋向右下轻起。

2. 行笔逐渐变粗，后段粗壮，要平衡。

3. 末端仰起，出钩向左上，指向字心。

(15) 竖弯钩（弯钩）

1. 竖部斜向左。

2. 中部圆转，较细；后段粗壮、平稳。

3. 出钩垂直向上。

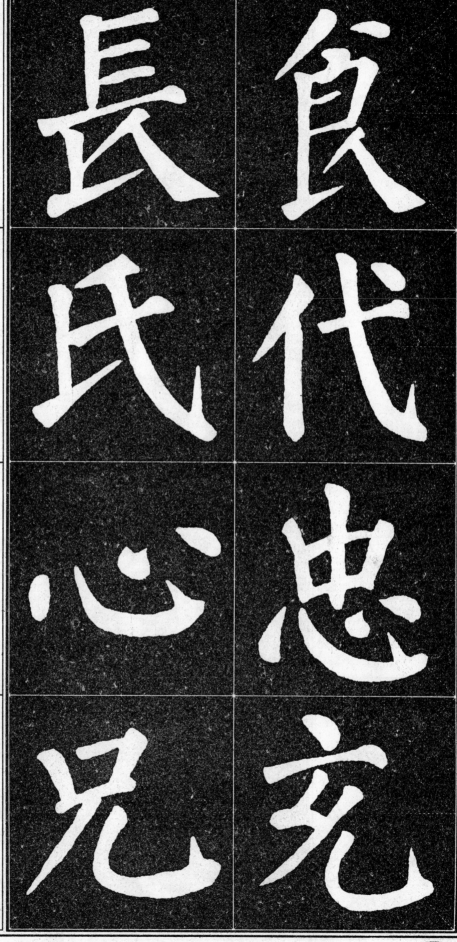

（16）弯钩

①写法与竖钩相同。

②中段向右凸出，行笔有力，笔画粗壮；钩部与起笔上下对正。

（17）横折竖钩

①竖画长，形要正。

②折部多圆，竖部微弯，中部向右凸出；用在字右（如"甫"字）；折部可方，竖画要直，用在字中（如"永"字）。

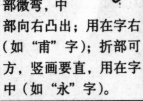

（18）横折斜钩

①竖画短，向左斜。

②横画细劲，竖画粗壮；折部多圆转。竖画可直，可弯。

（19）横折折钩

①上段为横折，折方突出，竖写作撇，较短。

②下段为横折钩，折部圆转，竖钩形长，后段斜向左弯，钩部与上竖末对正。

（20）横折弯钩（乙字钩）

1. 横画要斜。

2. 与"乚"相同，前段左斜，后段要平。

3. 与"㇏"相同，后段斜向右下，微弯。

（21）直撇

①写法与长撇相同。

②形直，轻细，多用在字的中部，如"者、秘"二字。

（22）竖撇

①写法与长撇相同。

②上段要正，后段微向左弯，形斜，多用在字的左边，如"月、川"二字。

（23）短捺

①写法与长捺相同。

②形直而短，行笔由细逐渐加粗。

③末端折转向右，仍要平向右捺出。

（24）侧捺

①写法与长捺相同。

②行笔由细加粗，微弯，斜度比长捺要小。

③侧捺与短撇组成"人"用在字底，如"是、走"等。

（25）横捺

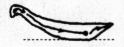

①写法与长捺相同。

②用笔厚重，前段较斜，中、后段要平。

③横捺与"彡"合成"辶"用在字底。

（26）相向点

①由左圆点与撇点组成。

②左圆点正好与右圆点相反，反时针运笔，形似椭圆。

③右点以短撇代替。

（27）左右点

①由左挑点与右圆点组成。

②左点反时针运笔，形圆，收笔时向右上挑去，与右点呼应。

③左右点用在"小"形中。

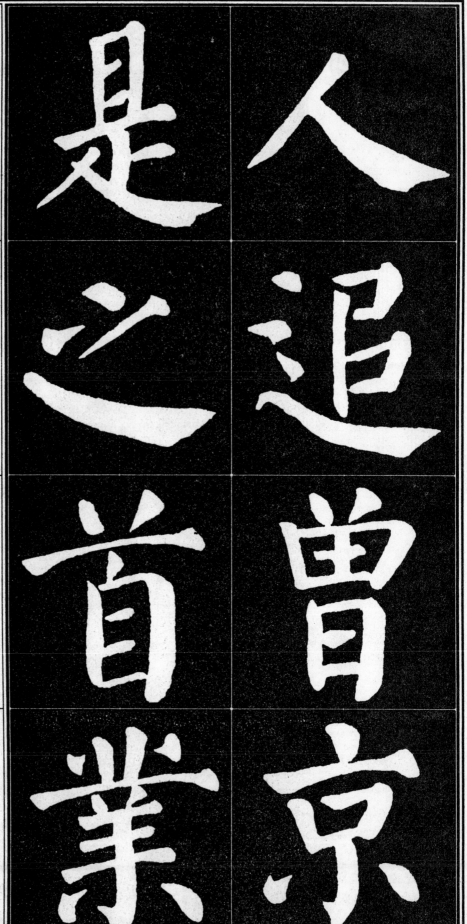

（28）顺向点

① 由撇点与右圆点组成。

②撇点在左，形圆，收笔时向左下挑出。

③顺向点多用在字头，如"并、父"二字。

（29）八字点

①由短撇与右圆点组成。

②八字点形长，较粗；多用在字底，作为字的支撑。如"典、兵"二字。

（30）上下点

①由上下两个右圆点组成，上小下大，上下对正。

②上下点用在"人、夂"的下面，如"於（于）、终、寒、冬"等字。

（31）横三点

①由两个右圆点与撇点横向组成，三点成一横排，皆向下聚中。

②横三点多与平撇或横组成"爪"字头。

（32）横四点

① 由四个右圆点横向排列合成。

②四点被"⺈"围住时，左点要大，如"馬（马）"字；四点在字腰、字底时，外点要大，如"魯、然"二字。

（33）两对点

① 四点写法各不相同，均向中心聚拢。

②两对点中间由竖向笔画隔开，左下点出锋带挑向右上，与右点相呼应。

第三节　笔画应用中的变化

笔画在字中并非一成不变。一字之中，笔画组合时，除了形态变化外，还有它的轻重变化。笔画的轻重，即粗细，由用力大小来决定，与笔毫下按程度有关。用力大，下按程度大，笔画即粗，粗壮笔画厚重；反之则轻，笔画则显劲健有力。颜字笔画的轻重对比强烈，大起大落，忽轻忽重，极富变化。

同时，一字之中若有相同笔画出现，则更应强调变化，在突出主笔的原则下，其余笔画或长短、轻重不同；或曲直、正斜有别；或首尾用笔的方圆、转折各异，各呈不同形态。颜体字中，变化多端，无一相同笔画出现。

· 笔画之间的轻重、形态变化，在互相搭配中，重在协调。整齐中有变化，变化中求统一。

（1）横轻竖重

字中横画与竖画比较，横画较细、用力轻；竖画粗壮、用力重，即"横轻竖重"。

如"不、專（专）"二字，其中"專"字横轻竖重更加强烈。

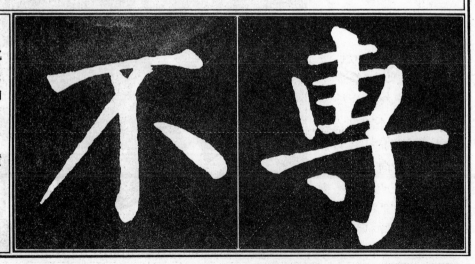

（2）撇轻捺重

字中长撇与长捺比较，长撇要细（即"轻"），长捺要粗（即"重"）。

撇、捺的粗细并不均匀，长撇中段略细，首尾略粗；长捺由细到粗，逐渐变化。

（3）左轻右重

字中两竖如果左右相对时，不管竖画长短，一般是左竖较细（即"轻"），右竖较粗（即"重"）。

如"田、右"二字中的左右相对的竖画，就是"左轻右重"。

（4）多轻少重

两个字比较，笔画多的字（如"焉"字），笔画要细一些，以免笔画拥挤或字形太大；笔画少的字（如"白"字），笔画要粗一些，才不会显得字形太小。

（5）主笔突出

对一个字的形状、结构有重大影响的笔画叫主笔，主笔大多为长笔画。

字中主笔要适当写长或粗壮一些，以求突出。

如"平、尹"二字的中竖、长竖就写得厚重，并尽力向下伸展。

"尤、史"二字，主体部分均偏左，而主笔竖弯钩及长捺则尽力向右伸展，使得"尤、史"二字又重新获得平衡。

（6）同画求变

一个字中，有两个或两个以上的相同笔画前后出现时，要注意变化，各不相同。

变化的方法主要是改变笔画的长短、正斜、曲直、轻重、首尾及转折处的方圆。特别是并列、重叠的笔画切忌互相绝对平行。

"拜"字七横，长短不一，轻重不同，两首横类似短撇，左下横成挑势。

"黄"字五竖，上短下长，"田"部中竖端正，边竖内斜，右边竖厚重。

"弘"字两折上方下圆。

"扬（扬）"字，两钩左小右大，左平右斜。

"述"字两捺，上捺写成点，底捺伸展劲健。

"後（后）"字六撇有长有短，有直有弯，有粗有细；看似平行，却各有变化。

词语书写练习(一)

在书写词语时，应把词语看成一个整体，注意整体协调。也就是说，词语中每一个字的大小、形状、轻重要在变化中求统一。

两字词语，大小不可太悬殊，笔画少的字可适当加重，于小中见大，笔画多的字，笔画适当写轻一些，紧而不挤，形虽大而不特别突出显眼。

金秋

"金"字字头要大，撇要长，捺要重；"秋"字形方，左右紧凑；两个字大小相当。

童稚

一长一方。"童"字主横长而突出，中竖粗凝重，"稚"字中疏外密。

传神

大小相当。"傅(传)"字左窄右宽，五竖正斜，曲直有变；"神"字，"礻"略向右倾斜，"申"端正，中竖厚重劲直。

盛世

一大一小。"盛"字形大，近似三角形，笔画较紧凑；"世"字形小，笔画可适当加粗，横平竖正，重心平稳。

第三章 部首

第一节 字头的写法

在上下结构的字中，字头在上，大多呈向下俯视，与字底有呼应之势。

字头多由单字演变而来。与相应单字比较，字头中的竖画缩短，横画长度不变，上下靠紧，撇捺伸展，整个字头长度缩短，宽度不变。

字头大多左右对称，其中点、中竖居中，左右撇捺（如"人、夫"）、点钩（如"宀、尚"）等互相对应的笔画要互相对称，大小、长短、曲直、斜度要互相协调。

（1）宝盖头

①字头短而宽。

②首点为右向点，居中，左点与右钩位置对称。

（2）尚字头

①与"宀"相似，比"宀"稍长。

②中竖居中，左右对称，上两点左右呼应。

（3）文字头

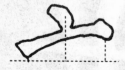

①"亠"形较小。

②右向圆点居中，横画左右呼应。

（4）高字头

①由"亠、口"上下合成，形长而窄。

②右向点居中，并与"口"部对正。

（5）立字头

①"立"形宽、较短。

②首点居中，左右对称。

③下横要长要平；可以上托下盖。

（6）十字头

①形小，笔画要重。

②短横要平；竖画写成撇，短而居中。

（7）禾字头

①"禾"形较大，上窄下宽。

②横稍长，竖要短；竖居中，左右对称。撇短而直，捺缩为点。

（8）人字头

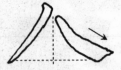

①撇画轻而较直,起笔在竖中线上。

②捺画粗壮,一波三折。

③撇、捺收笔持平,或捺画长伸,收笔较低。

（9）春字头

①外形似三角形,撇捺下伸,占住大半格。

②横画宜短,向上靠拢。

（10）羊字头

①形小,近似方形。

②横、竖都短,横平竖正,整齐规则;三横略有变化;中竖居中,左右对称。

（11）草字头

①形小,横、竖都短。

②横画写成左、右轻横,左右相平;竖画内斜,而且右竖写成短撇,向中聚拢。

（12）竹字头

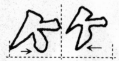

①形小，左右持平。
②左撇粗壮，右撇较小；横与撇的上部相连；两点内斜，左点为圆点，右点近似撇。

（13）曰字头

①左右反向，分开，相平。
②两竖略向内斜；六横极短，形如横点，且起收方圆，大小各不相同。

（14）田字头

①形方正或略扁。
②外框两竖左轻右重，皆内斜。
③两横相平。

（15）山字头

①中竖向上突出，方头重起，对准竖中线，可正可斜，但大多成斜势。
②边竖宜短，皆向左斜，形状各异；横画上斜，与挑画相类似。

第二节　字底的写法

在上下结构的字中，字底在下。字底要稳，托住字头部分。因此，有长横的字底，长横要平；有竖弯钩的，后段要平；有中竖、中点的要居中书写，以平衡字的重心。"口、日、皿"等字底，也要居中安排好位置，不偏不倚。

由单字演变的字底，与相应单字比较，字底中的竖画相应缩短，而横向笔画不变，其横画上下靠紧，撇捺大多缩短，变为点画（或左撇右点），整个字底高度缩短，而宽度不变。左右对应笔画仍要互相对称。

（1）日字底

①形小。扁短（如"書"书）的两竖内斜；窄长（如"魯"鲁）的两竖要正。

②两竖左短右长，中横连左竖，不连右竖。

（2）皿字底

①形扁平，底横上凸，平稳。

②四竖外重内轻，两边竖内斜，右边竖多用圆笔，略为外凸。

（3）贝字底

①形窄长，居中。

②两竖左短右长，内横连左不连右，底横出头，两点分别与两竖对正。

（4）木字底

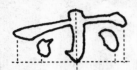

①形宽而扁，长横左右伸展，稳托上部。

②竖钩要短，居中，直中微带弯意；两点左右分开，左点带挑与右点呼应。

（5）示字底

①上窄下宽，形不大。

②竖钩居中，左右对称，两点写法及位置与"木"字底相同。

（6）绞丝底

①较长，外形近似三角形。

②竖钩居中与首撇起笔对正，左右对称。

（7）竖心底

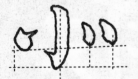

①竖钩略长，微弯，略偏左。

②左点带挑，与右点呼应；右两点内小外大；三点基本相平。

（8）四点底

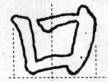

①四点横向排列与横画位置相同。

②四点写法与形状各不相同，特别是方向不同；右点要厚重圆浑。

（9）口字底

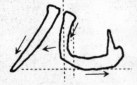

①形较小，上宽下窄。

②两竖左短右长，左轻右重，皆内斜。

③首横连右不连左。

（10）儿字底

①形较宽。

②左撇直，较短；竖弯钩左斜右伸，后段厚重有力，以稳重心。

（11）女字底

①形扁，近似菱形。

②横长而平，撇点与撇靠紧，交点居中，两收笔左右相平。

第三节　左偏旁的写法

　　在左右结构的字中，左偏旁在字的左边。此类字，字的右部为主，左偏旁为次，大多成向右倾斜、与右部相呼应之势。竖画长度不变，而横画相应较短。

　　以长竖为主的左偏旁，长竖上端右倾，且多略为弯曲，中段向左凸，成向左抱之势。在"木、禾、衤、金"等左偏旁中，左撇宜直，略长，右捺缩为点，居撇头之下；而且以竖为中心，左宽右窄。在"日、月、贝"等左旁中，底横多成斜势，或改写成挑，形成向右的呼应关系。"女、纟、弓、彳"等以斜弯笔画为主的左偏旁中，注意它的中心位置，一般来说，斜画的交点、斜钩的钩部都是左偏旁的中心位置。

（1）单人旁　①形窄长。　②短撇厚重圆浑。　③竖画较轻，与短撇中间相连，并与撇首起笔处对正。	
（2）双人旁　①形窄长，与"亻"相似。　②两个短撇皆直，上短下长。　③竖画直中带弯。	
（3）提手旁　①形窄长。　②横缩短；竖钩长，直中带弯，微向右倾。　③挑画与竖钩中间相交，斜向右上。	

（4）木字旁

①形窄长，写法与"木"字相似。

②横短，竖钩长。

③撇在横下起笔，捺缩为点，靠撇首下起笔。

（5）禾字旁

①形窄长，写法与"木"字旁相同。

②顶撇成横式。

③"扌、木、禾"三个左偏旁以竖为主，都是"左宽右窄"。

（6）竖心旁

①形窄长。

②竖微弯外凸，略向右部倾斜。

③两点都在横中线以上，且左低右高。

（7）左耳旁

①耳钩宜小，在横中线以上，撇与圆钩圆转相连。

②竖画长而微弯，略向右部倾斜。

（8）示字旁

①与"禾"字旁相似。

②首点写成左尖横，并与竖上下对正。

③撇、点短而靠上。

（9）衣字旁

①与"礻"旁同形。

②右部两点靠上，上点写作短撇，下点在撇点尾起笔。

（10）口字旁

①形短小，在字中的左部靠上。

②写法与形状都与"口"字相同。

（11）日字旁

①形窄长。

②两竖都正，左短右长，右竖起笔多用圆笔。

③中短横连左不连右，底横多写成挑，与右部呼应。

（12）月字旁

①形窄长。

②撇与竖钩都正，竖钩略长。

③内短横稍靠上，下横略成斜势。

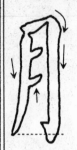

（13）贝字旁

①形窄长。

②"目"部长而方正；只是底横左端出头，且略成挑式。

③"八"两点分居两竖下，左右分开。

（14）言字旁

①横画缩短，形宜窄。

②首点靠右，"言"有向右倾斜之势。

③三横写法，长短各不相同。

（15）三点水

①上点偏右，中、下点偏左。

②中点靠上，下点写作挑。

③三点上下拉开，占位较长。

勝 服

贈 賊

詰 誦

沈 漢

（16）金字旁

①"人"部略宽，下部略窄。

②撇画直而厚重，捺改作点。

③中竖与上撇头对正，左右基本对称。

（17）食字旁

①形与"金"字旁相似，上宽下窄。

②"良"部端正，左竖长而正直，挑画突出，捺改作点，写在右竖下。

（18）女字旁

①形较窄。

②横画左伸右缩；右撇与长点相交，交点与左撇首对正。

③以交点为界，左宽右窄。

（19）弓字旁

①形窄长。

②上部笔画紧凑，弯钩向下伸展、钩头居中。

③三个折部方圆不同，注意区别。

(20) 绞丝旁

①形似窄长的三角形。

②分清上下的中心位置。下中点居中，并与首撇头对正。

(21) 朝字旁

①上窄下宽。

②两个"十"，上小下大；上下两竖对正，左右基本对称。

第四节　右偏旁的写法

　　在左右结构的字中，右偏旁处于字的右边。此类部首，竖画宜长为主，横画相应较短为次。而且右偏旁上部多向左倾，有与左部相呼应之势。

　　以长竖（包括竖钩）为主的右偏旁，长竖尽力下伸，多为悬针，竖钩则微弯，中部向右凸出，形成向左的抱势，如"刂、阝、月、斤"等。在"页、隹、见"等部首中，形较宽大，竖画端正，笔画安排均匀。在"攵、欠、力"等以斜、弯笔画为主的右偏旁中，注意撇捺交点及斜钩钩部居偏旁的中心，以稳定重心；同时，撇画宜缩，注意与左部的穿插关系，捺画伸展，粗壮有力，起支撑作用。

(1) 立刀旁

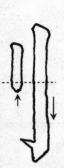

①短竖要轻，偏上。

②竖钩劲挺，粗壮，形长，上下顶天立地。

(2) 右耳旁

①右耳旁在字中整体偏下。

②耳钩上下分开，形大。

③竖端正，粗壮，收笔出锋悬针。

(3) 单耳旁

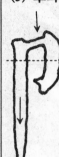

①与右耳旁相似，在字右偏下。

②"卩"不大，圆笔外凸内收。

③竖画粗壮，劲直，收笔出锋悬针。

(4) 口字旁

①形小，上宽下窄，两竖略向内斜，左轻右重。

②折部可方可圆。

(5) 月字旁

①与"月"字相同。

②"月"字右旁端正，较宽大。

③竖撇下段斜向左下；竖钩多内凹，形长。

(6) 斤字旁

①首撇较平，圆头下垂。

②竖撇较弯。

③横画右展；竖画悬针、下伸、劲直、形长。

(7) 竖三撇

①由三个短撇上下组成，三撇上下对正。

②撇头多用圆笔，形圆下垂。

③下撇形大，厚重，较平。

(8) 页字旁

①与"頁"字相同，形端正。

②两竖正直，横画排列均匀，底横向左出头，成挑势。

③"八"与竖对正，形大。

(9) 佳字旁

①形窄长，左右靠紧。

②左竖要长，下伸、回锋收笔；右竖厚重，劲直。两竖靠拢。

③横画短，向上靠拢。

(10) 力字旁

①形斜，注意重心稳定。

②撇与钩斜而微弯，钩头与撇首对正。

(11) 反文旁

①上部撇短横略长。

②下部撇轻捺重；捺画要向右伸展；撇画注意与字的左部的穿插，可长可短；撇捺交点与上撇头对正。

(12) 见字旁

①上窄下宽，在字右靠下。

②"目"方正，笔画均匀，底横向左出头，成挑势。

③"儿"撇短而直，竖弯钩较重，横向右伸。

(13) 戈字旁

①形较窄，向左倾斜，与右部紧密地连在一起。

②斜钩上段较正，下段略斜，撇画与斜的交点与上点对正。

（14）寸字旁

①横画要舒展有神

②直钩挺硬，出钩有力。

（15）辛字旁

①形窄长，横画平行。

②首点居中，中竖形正，向下力伸，并与首点对正。

第五节　包围部首的写法

　　包围部首在字的外围，有两面包围、三面包围和四面全包围等不同形式。包围部首应注意与字中的另外部分（即"内包部分"）相适应，大小、位置要互相协调。

　　在"厂、广、尸"中，横画较短，撇画要长，向下伸展，微微弯曲，但长撇不可超过内包部分的底部笔画；而"虍"，撇画宜短宜直。"戈、哉"等部首，斜钩微弯，宜长，不可太斜，有左倾之势。"勹"类部首，竖钩上段宜正，下段弯向左，成向左抱之势。"辶、走"等部首，捺画要长、后段要平，向上托住内包部分。"門"形部首，两竖宜长；"几"左缩右放；"凵"两竖宜短，"匚"下横宜长，"囗"横短竖长，两竖外凸。

（1）厂字头

①横画较短，末端圆收，较重。

②撇在横首下起笔，形长而下垂，斜度不大。

(2) 广字头

①形及写法与"厂"相似。

②首点为右向圆点，较重，居中。撇画弯度不大。

(3) 尸字头

①横、竖皆短，"己"较小，折部突出，可方可圆，两横写法各异。

②长撇起笔与横可连可断。

(4) 弋字头

①横画左端较长。

②斜钩微弯斜度较大，出钩向上。

③点在横尾上方，较大，形圆。

(5) 虎字头

①笔画均匀、紧凑。

②撇画较短，上竖偏左并与"七"对正。

③"盧（卢）"字头，"七"写成"土"，并与首竖连写。

(6) 走之底

① "辶" 上部左斜，收笔与上点对正。

② 捺画前段略斜，后段较平，尽力向右平伸。

(7) 门字框

① 外形方正，略带长形。

② 左右同形反向，左小右大；左下横写成挑；两竖外凸，左短右长。

(8) 几字框

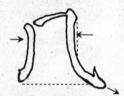

① 外形上窄下宽，主体偏左，斜钩右伸。

② 左右中段微向内凹，内空较窄。

(9) 戊字框

① 与 "戈" 旁相似。

② 外形上窄下宽，位置与 "几" 相似。

词语书写练习(二)

两字词语中,两个字的大小、轻重要协调。

三个字的词语,首尾二字,要大小、轻重协调。画少形小的笔画要重,而且字形不能太小,画多形大的笔画略轻。中间的字,大小、轻重、形状因字而成,不必强求与首尾二字完全相同,可大可小,可轻可重,只是不能太大。

忠诚

"忠"字形略小,笔画适当加粗,中竖与中点注意位置挪让。

"誠(诚)"字,形方正,略大,左右向中靠拢,笔画略紧凑。

神州颂

"神"字长竖要厚重;"颂(颂)"字左小靠上,"页"部形大,端正、稳定。"神、颂"二字形可稍大。

"州"字,点、竖排列在均匀的基础上互相靠紧,笔画不可太粗,中点要小,左、右两点要大,且左点长,右点浑厚,三点均靠上。

楚天舒

"楚"字形窄长,横钩略斜。

"天"字形略小,但捺画要粗壮,伸长。

"舒"字形近方,左高右略低;弯钩宜长,在字右居中,与上点对正。

观海

"觀（观）"字左部笔画多，宜轻，排列要均匀紧凑。右部上窄下宽，末笔横向右略伸。

"海"字，左右分开，中部开阔；斜钩微弯，向左呼应，长横左伸，注意与"氵"的穿插。

长相思

"長（长）"字形略长，上小下大，挑画向左出头，捺画斜伸，与挑头对应。

"相"字左长右短；左竖钩劲直，中段略细；右旁两竖圆劲，横折略带弯意，而有抱左之势。

"思"字上窄下宽，横弯钩后段平，左点靠上，右点仰起，字形才能平稳。

南岭秀

"南"字形方，略大，用笔稍重，可以起领头的作用。

"嶺（岭）"字形长、方，笔画匀称，紧凑，不可太大。

"秀"字形长，上部左右对称，中竖居中；下部斜中求正，以横折斜钩为主笔，钩部与上竖对正，字形才稳。字形不可太大。

第四章 结 构

第一节　独体字的结构方法

没有偏旁部首，直接由基本笔画组成，能独立存在的字，叫独体字。写好独体字，关键在于笔画的搭配要合理，要疏密匀称，要自然。笔画之间互相照应，保证字形的重心平衡。

要确保重心平衡、稳定，必须做到以下几点：横画要平稳，竖画要端正，笔画之间排列要均匀，左右对应的笔画要位置对称。这几点，即是独体字要遵守的原则，也是其它任何结构形式的字都要遵守的基本原则。

(1) 横平

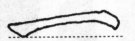

字中的横画要平，特别是长横更要平平稳稳。这个"平"不是水平，横画一般仍是左端略低，右端略高，字才平稳。

(2) 竖正

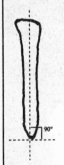

字中的竖画要正，主要是指长竖和中间的短竖要写得端正。左、右两边的短竖一般成向内的斜势。

(3) 弯正

竖画要正，弯竖、弯钩也要写正。弯钩只要做到首尾上下对正就能达到端正的目的，字的左右才能平衡。

(4) 斜正

字中斜画（撇、捺、点、挑、斜钩等）相交，交点居中；斜钩作字的支撑，钩部居中，字才会平稳。

(5) 间隔均匀（一）

一个字内，笔画之间的间隔距离要基本相等，字才均匀，决不能有的部分太挤，而有的部分又太散。如"马"字的横画之间，"州"字的点、竖之间要匀。

(6) 间隔均匀（二）

以斜向笔画为主的字，笔画之间的均匀主要看笔画之间形成的空白，空白大小相等，字中笔画的间隔距离也是均匀的。

(7) 左右对称

字中左右对应笔画形状相同、相似的，那么对应笔画的长短、位置、倾斜与弯曲程度都要相等，这就是左右对称。字的左右才能平衡。

第二节　上下结构的结构方法

　　由上下两个或两个以上部分纵向组成的字，其结构形式为上下结构。其中由多个部分上下合成的字，也称为上中下结构。

　　上下结构的字，应在"平正、匀称"的基础上，各部分要上下靠紧，各部分的中心上下对正。字中的中点、中竖、撇捺交点等就是它的中心位置。上下各部分的大小长短比例与各部分的笔画多少有关。横多就长，竖多就宽；有长竖的要长，有长横或撇捺、抛钩的部分要宽。笔画的长短及占位的大小应以匀称为原则。

(1) 上下对正

　　上下（或上中下）各部分中心应上下对正。"家"字中的点、弯钩即为上下两部的中心位置；"晋"字中的两个"厶"与"日"的两竖之间位置即各部中心。

(2) 左右对称

　　上下结构的字，若左右同形的，应在上下中心对正的基础上做到左右对称。

　　"奉、華（华）"二字皆以中竖为中心，左右对称。"奉"中撇捺长度、斜度一致，"华"字中四个"十"大小、位置相同。

(3) 上盖下

　　字头中有"人、宀"等的字，大多上宽下窄，字头要完全盖住字底。"金"字底横适当缩短。"官"字字底宜窄，完全在"宀"内。

(4) 下托上

字底有长横、撇捺的字，大多上窄下宽。下部宽，则字底应稳托字头。

"英"字长横宜平。"参"字，"人"向上插入两个"厶"之间。

(5) 上短下长

字头为"艹、宀、日、罒"等部首的字，上部要短，下部占位要大。

"萬（万）"字，底部要宽，中竖居中，左右基本对称。"蜀"字，下部要宽。

(6) 上长下短

字底为"灬、口、皿、八"等部首的字，上长下短。

"勛（勋）"字笔画匀称，"力"钩部下伸。"鹽（盐）"字，右上部笔画宜轻，间隔紧凑。

(7) 上中下宽窄

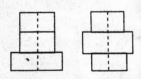

上中下各部应宽窄不一，以免呆板。"贞"字底横左伸，末点右伸，形宽。"暮"字中部"大"撇捺左右伸展，形宽。

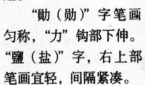

(8) 上下分合（一）

"命"字下部左右分开，"慈"字上部左右分开。

上下结构的字中，左右两部合成的部分，应互相靠拢，形成整体。

(9) 上下分合（二）

"蘇（苏）"字上下皆由左右两部合成，其下部笔画多，左右应向中靠拢。

"察"字中部左右分开，其上端靠拢，插入"宀"内，撇捺展开，让"示"向上靠拢。

第三节　左右结构的结构方法

　　由左右两上或两个以上部分横向组成的字，结构形式为左右结构。其中由多个部分左右合成的字，也称为左中右结构。

　　左右结构的字，应在"平正、匀称"的基础上，左右各部要向中靠拢，在互相靠拢时，要注意笔画之间的穿插与挪让，决不可出现左右笔画连成一笔。左右各部的大小比例与笔画的多少及长短有关。笔画多的占位大，少的占位小。左右长度相等时，上下平齐，方正整齐；左右长度不相等时，一般为左高右低，中部较短时则靠上。在颜体字中，也有少数右短偏上的，如"弘"字，这是为了稳中求险，均匀中求变化，此种变化在书写中要慎重。

(1) 左右穿插

　　在左右结构的字中，左右两部之间的笔画多而拥挤或发生冲突时，必须各自上下移位而互相插入对方的空隙处，以保证笔画匀称。

(2) 互相挪让

字中局部笔画繁多时，次要笔画应适当缩短、变形、减轻或移动位置而让其它笔画（特别是主笔）。如"殺（杀）"字中点略偏上让左下撇；"河"字上点上移以让长横插入其下。

(3) 左分

左右结构的字中，如果左部由上下几层合成时，左部要首先上下靠紧，形成整体，然后再与右旁组合。左部笔画以均匀安排为好。

(4) 右分

左右结构的字中，如果右部由上下几层合成时，右部要上下靠紧，上下对正，形成整体。右部一般占位较大，形要端正、稳定。

(5) 左右（左中右）等高

左右两部（如"湊"字）或左中右三部（如"徽"字）的字，各部高度相等，则字形多为方形。此类字注意笔画的变化以免呆板。

(6) 左短靠上

　　左旁短小（特别是"口、日、土、王"等部首）的字，左短右长，左部要靠上，上平下不齐。右部端正为主。如"辟、踰"二字。

(7) 右短靠下

　　右旁短小（特别是"口、又、卩、攵"等部首）的字，左长右短，右部要靠下，下齐上不平，右上要空。如"叔、劍（剑）"二字。

(8) 左上右下

　　在左中右结构的字中，左旁短小（如"堆、啊"二字）或右旁短小（如"湘、衛（卫）"二字）的，如左右结构相同，左短靠上，右短靠下，不可硬性拉长成正方字形。

(9) 中短靠上

　　在左中右结构的字中，如果中间较短的，则中短靠上，与左右长部平齐，下而留空。如"御、傾（倾）"二字。

(10) 左宽右窄

　　竖向笔画左多右少（特别是右旁为"刂、阝、力"）的字，左宽右窄，左部为主。左部端正，匀称，右旁长竖（竖钩）劲挺，下展，并向左靠拢。如"刘（刘）、鄭（郑）"等。

(11) 左窄右宽

　　与（10）相反，左旁为"亻、忄、扌、氵"等部首的字，左窄右宽。此类字，右部为主，要写得端正，稳定。

第四节　包围结构的结构方法

　　部首在外，由内外两个部分构成的字，结构形式是包围结构。

　　包围结构的字，应内外两部分互相靠拢，并互相照应，部位之间形成呼应关系。包围结构的形式多样，有两面包围、三面包围与四面全包围三大类，它们的结构比例位置关系比较复杂。总的来说，在半包围（两面、三面包围）结构形式中，内包部分应略向无部首方向偏移，以求整个字的笔画排列均匀，以免局部拥挤。同时，左右的笔画，特别是竖画，略向外凸，而显出颜体字中松外紧的总体风格，这一特点在三面包围和全包围结构形式中尤其突出。

(1) 内外靠拢

　　在包围结构的字中，内外两部分要互相靠拢，但注意"紧而不挤"。同时在紧密的基础上做到笔画均匀排列。如"疾、孝"二字。

（2）内外呼应

包围结构的字，应在均匀的基础上，内外两部利用笔画或部位的形态、位置，形成互相呼应之势。如"序"字"广"向右下，而弯钩则向左呼应。

（3）两面包围

两面包围结构有三种形式：左上包围（厂），右上包围（乛）和左下包围（乚）。

①左上包围，部首在左上方，内包部分适当向右下偏移，其中的长笔画可适当向右下突出。如"康、彦、序"等字。

②右上包围，部首在右上方，内包部分适当向左下偏移，其中的长画可适当向左下突出。如"司"字。

③左下包围，部首在左下方，内包部分偏右上，其形宜窄，宽度不能超过部首中的长捺或钩画。如"道、翘、连"等。

(4) 三面包围

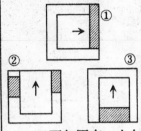

三面包围有：左包右（匚），上包下（冂）与下包上（凵）三类。

①左包右，内包部分应窄于部首中的底横，向左靠拢。如"区、匡"等字。

②上包下，内包部分尽量向上靠拢，笔画一般不能低于部首。如"内、阙"等字。

③下包上，部首中的边竖要短，而内包部分应高于部首，向上突出。如"幽、函"等字。

(5) 全包围

部首（囗）方正，略带长形，两竖左轻右重，左短右长，微向外凸。内包部分笔画要均匀，充满部首之内，不能有疏密变化。如"国"字等。

(6) 双包围

此类以外包围结构为主结构形式，来安排内外两大部分的相互关系。

内部的包围形式为次，应服从主结构。如"局、庭"二字。

词语书写练习(三)

四字词语中,字数较多,各字的笔画多少及字形大小各异时,更应强调在变化中求统一。

千秋大业

"千、大"字笔画较少,笔画要粗壮有力,笔画可适当加长,字形可适当扩大,特别是"千"字。

"秋"字较方正,形不可太大,末笔捺画只可稍稍突出,注意不得超过"大"字的长捺。

"業(业)"字笔画多,形大而长,中部三横较短,形要窄;"業"字笔画上下靠拢,下两点外移,使得字形上下宽窄有变。

旭日东升

"旭"字形方正,笔画粗壮有力。

"日"字笔画少,形可小,但不能太小,且注意与"旭"中"日"部的写法与形状的区别,以求变化。

"東(东)"字形长,上部横竖略紧,撇捺略伸,整个字形略成三角形。

"昇(升)"字上小下大,长横略成斜势,左上让点,收笔则要粗壮、形重,以平衡左端。撇与末端粗壮有力,左撇略偏内,右竖则与上竖对正。

词语书写练习(三)

风华正茂

　　"風（风）"字在词语"风华正茂"中处于第一个字领头的位置，其主体部分不宜太偏，中竖要写在靠近竖中线的左侧。

　　"華（华）"字左右对称，长竖居中，略向下垂，形较大。

　　"正"字横平竖正，形可较小一点，但笔画应适当加粗。

　　"茂"字字头略窄，字底适当向左右展开。

故乡明月

　　词语中前三字大小相当，"故"字略小；第四字"月"笔画少，形窄长，笔画应适当加粗，撇与竖钩可略为分开，写得稍宽一些。

　　"故"字左右均等，注意左右穿插。

　　"鄉（乡）"字左中右结构，左右向中间靠紧，字形不能太宽；主体部分皆靠上，只有末竖下垂。

　　"明"字，"日"部为篆书写法，略宽，"月"部较窄，竖撇后段微向左弯，插入"日"下。

　　"月"字，笔笔皆粗，两短横略向上靠，其笔画的写法注意与"明"字"月"部的变化。

第五章 布 势

颜体字的结构布势以方正、匀称为主，中松外紧，左右外拓，用笔厚重圆浑，字形凝重，重心平稳，有雄伟气势。颜体的中松外紧极为独特，中部疏松可显其开阔，外部紧密外拓，可显字形的丰满。在字中各部交接处应注意笔画的穿插挪让，前后笔画之间，上下、左右各部之间又强调相互的呼应连带关系，以形成整体。

颜体字形虽以方正为主，但仍应根据字中的笔画多少与长短，有长短、大小、偏斜等不同形式的变化。同时注意同形求变，相同的笔画、部首或同一个字，其写法、形状各不相同，变化丰富多彩。可以说，在颜体字中，无一相同的笔画、部首或字出现。

（一）端正凝重

(1) 端正

横平竖正，笔画排列均匀，左右对应的要对称；特别是字形以方形为主，四周长笔画适度伸展，使字形向方形靠近。因此，颜体字形端庄方正，重心稳定。

(2) 外拓

颜体左右两边笔画多向外突出，特别是两边长竖微向外凸，其字形方中略呈圆意。使颜体字以正面取势，更具稳重感。如"隐、调"二字。

(3) 凝重

用笔以圆笔为主，笔画的起、收及转折处多为圆转，格外浑厚。同时下笔有力，笔画粗壮，尤其是竖、捺、点画及字中主笔更为突出。因而字形更显凝重。

(二) 形态各异

(1) 疏

　　笔画少的字，排列应疏松开朗。颜字以均匀为基础，中部有意拉开，形成"中疏外密"的特色。

　　如"居"字"十"占位大；"隋"字左右分开，由于外围笔画向内呼应，又能做到"疏而不散"。

(2) 密

　　笔画多的字，笔画排列要略为紧凑，笔画可适当写轻，要细劲有力，笔画之间更应以"均匀、对称"为原则。

　　如"兼"字的中部，"数"字的左部，笔画都比较密。

(3) 大

　　笔画繁多，字形可大。笔画可适当减轻，排列均匀，并向中靠拢，不可过大而写出格外。

　　如"幾（几）、铠"二字。

(4) 小

　　笔画少，而且没有长笔画的字，字形可小。笔画可适当加重，粗壮有力，外形不可太小，于"小中见大"。

　　如"口、小"二字。

(5) 长

　　横多竖少，横短竖长，或上下多层重叠的字，字形窄长。

　　字形窄长的字，横画上下靠紧，且各层中心对正，长竖、中竖要端正劲直，撇捺不宜过长。如"畫（画）、慶（庆）"二字。

(6) 短

　　与长形字相反，横少竖多，横长竖短，或左右多部并列的字，字形短而宽。

　　字形短而宽的字，竖画靠拢，左右平齐，不可写得太短太宽，以接近方形为宜。如"仁、四"二字。

(7) 偏

　　左右笔画多少不等，字的主体部分偏于字的一侧的字，形偏。

　　形偏的字，注意左右笔画的伸缩，主体部分多向另一边倾斜，以平衡左右。如"也、允"二字。

(8) 斜

　　字中以斜向笔画（大多为撇、捺、斜向钩画等）为主的字，其斜画交点或撇与横、竖、点的交点及斜向钩的钩头要居中，以平衡字的重心。

　　如"少、男"二字。

(三) 呼应连贯

(1) 笔画呼应

字中对应笔画或前后连续笔画、或左右上下各部的笔画之间，要注意相互间的呼应。

"赤"字左点收笔带挑以应右点；"绝"字左下点撇斜向左点，竖弯钩包上，字更显整体性。

(2) 部位呼应

合体字中各部分之间也要互相呼应，以增强整体感。

"时"字左下横作挑向右，末钩竖部形弯抱左。

"钧"字左旁向右倾斜，右部折钩抱左，左右互为呼应关系。

"敏"字左右两部的上端均向中倾斜，靠紧，下端外展，上紧下松，浑然一体又极为稳定。

"何"字左右上部靠紧，"口"上靠并居于左右之间，使左右形为一体，末钩又外凸向内，左右更难分开。

(3) 俯

字上有"人、宀"等形式的笔画，撇捺向左右展开(如"今"字)，宝盖略宽，长横中部略向上凸成弯势(如"希"字)，都有向下的俯势，以便上下呼应，融为一体。

(4) 仰

字下有长捺、横、竖弯钩的，都要长而有向上之形，向上呼应、稳托上部。此类字，下部宜宽。

如"过"字下的长捺，"宪"字下的横弯钩及"兄"字的"儿"部等。

(5) 相向

左右相向的字，左右笔画宜向外拓展，并皆向中成呼应之势，中部位置略显空头。

"好"字左部右倾，横挑向右呼应，右部形正，弯钩向左呼应。"侗"字左右边竖皆向外凸，形成内抱之势。

(6) 相背

左右相背的字，中部宜紧，互相靠拢；左右的长形竖画曲直、弯度、形态互不相同；下端外展，宜宽。

"兆"字四点互相呼应。"张"字左倾右正，钩、捺外展，重心平稳。

(四) 同形求变

(1) 重

上下同形为"重"。上次下主，上小下大，下部占位宜大。

"出"字底横宜长，宜平；"多"字下撇最长，微弯，与点相交在竖中线上，字形可以稳定。

(2) 并

左右同形为"并"。左部形小为次，右部形大为字的主体。

"林"字左部捺缩为点，右部捺形正长伸。"皆"字上部左右同形，两个竖折左方右圆，左小右大。

(3) 堆

三者同形成"品"字形结构的为"堆"。上部小而扁平，下部与"并"相同，左小右大。

"协（协）"字，下两"力"向上插于上"力"左右。"摄（摄）"字，下部两"耳"合并，中竖借用变形。

(4) 同旁异形

同一幅字之内，相同部首，应根据各字的不同情况，有所变化。

"頁"。"频（频）"字，画多，因而"頁"略轻，形正为主以稳重心。"顷（顷）"字，画少，"頁"略粗壮，并于稳中求险，横画多作斜势。

"亻"。"优（优）"字，笔画左小右多，因此"亻"形粗壮有力，使得左部画少而不孤单，与右部平衡。"仲"字，"亻"轻而劲直，以让右，右部中竖长而粗壮，左右主次分明。

(5) 同字异体

　　同一幅字内，相同的字更应变化，或轻重、大小、方圆不同，或造险求变，或笔画的增减、变形，采用异体写法，以求变化，丰富作品的内涵，以避免单调、呆板。

　　"著"字，左轻右重，左端正，右造险；右"著"长撇加粗，迫使"日"右移，出现变形。

　　"曹"字，左轻右重，左"曹"为正规写法，右"曹"上部少一竖，为异体。

　　"爲（为）"字，左为"⺮"字头，右作两点，从行书演变而来。两折左断右连，左"爲"上方下圆，右"爲"两折部大小、突出程度不一。钩画，左轻巧灵便，右粗壮厚重。四点，左相似，右变化各一。

　　"光"字，左"光"正规写法，右"光"上部横竖变为"人"形，由篆隶写法演变而来。下部撇画，左轻而劲直，右圆浑微弯，且斜正方向也不相同。整字来看，右"光"更显圆润厚重。

第六章 作 品

学习的目的在于实际运用，学习书法就是要能够进行创作，写出一幅好的作品。

进行书法创作，也是学习书法的一个重要步骤，它能加速学习书法的步伐，并检验自己的学习所获。创作出一幅好的作品，反过来又能给人以美的享受，并从中提高自己的文化艺术素养，丰富自己的精神文化生活。同时更能鼓舞初学者的信心，为进一步提高书法水平打下坚实的基础。

第一节 作品的形式

书法作品的形式多样，经过数千年的发展变化，目前更是丰富多彩。书法作品的形式与实际需要及纸张的大小形状有关。常用的作品形式有以下几类：中堂、条幅、横幅、斗方、对联等。

中堂 竖式，因其悬挂于厅堂正中而得名。中堂一般是四尺或四尺以上整张宣纸书写，是大型书法作品。长宽比为 2 比 1。也有用三尺整宣纸书写的，称为小中堂。

条幅 竖式，幅式窄长。一般用整张宣的纵向对开（即半张宣纸）书写。长宽比为 4 比 1 或 3 比 1 不等。形式与中堂相似，只是比中堂窄一些。

楷书中堂（曹操·观沧海）

东临碣石 以观沧海 水澹澹
山岛竦峙 树木丛生 百丰茂
秋风萧瑟 洪波涌起 日之行
若出其中 星汉灿烂 若其里
幸甚至哉 歌以咏志

楷书条幅（杜甫·赠花卿）

锦城丝管日纷纷 半入江风
半入云 此曲祇应天上有
间能得几回闻 人

对联 也叫楹联，俗称对子。为两长条形竖式作品。对联的长宽无一定限制，应根据字数的多少而定。对联分为上下两句，字数相等，内容相关且对偶。上联在右，下联在左，上下两联左右对称，上下平齐，左右字字对正；落款也分上下两部分，上款在上联右侧偏上，下款在下联左侧居中。用纸多为四尺整宣对开或三开取其二。

上下联也可合写在一张宣纸上，格式不变，也叫条幅式对联。

斗方 一种外形基本接近正方形的小型书法作品，镶嵌于镜框中，悬挂在室内，小巧雅致。斗方多用整宣横向对开，边长约在两尺之内。

横幅 也称横披、横式。一般多悬挂于厅堂的正中，又有横中堂之称。其高宽比为 2 比 3 或 1 比 2 不等，有如横置的中堂。

对联（毛泽东诗句）

斗方（风华正茂）

横幅（陆游·卜算子咏梅）

第二节　作品的格式

在书写作品时，应将纸的四周适当留空，留出的空白自然形成一个白色的边框，作品更具整体效果。竖式作品，上下边框又称天头、地头，略大于左右边框所留的空白。横式作品正好相反，左右边框留空大于上下边框。

书法作品按传统的书写习惯，为纵行排列。不论横式、竖式都是每行从上到下，各行从右至左依次书写。字间、行间皆有一定间隔，且行距大于字距，而行距又小于边框；而隶书却相反，虽是竖式，却是字距略大于行距。

正文首行顶端不空格，正文顶格而写。作品内一般不用标点。

落款在正文之后，款字要小于正文。正文末行下空白较多，款字可写在正文末之下，但不可太挤；正文末行下留空较少，款字则写在正文末行左侧，另作一行。款字内容及书写顺序依次为：正文的题目、出处，作品书写的年月，书写者的姓名（年老或年小者还可写上年龄）以及书写的地点。姓名印钤于款字下，印章大小与款字相连，两印之间相距一印位置；启首章钤在正文首字的右侧。

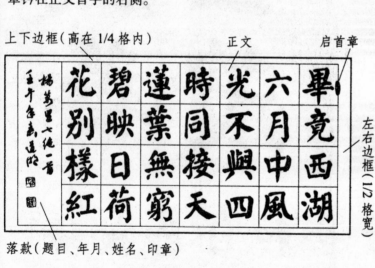

第三节　布局的规律

作品的综合处理为布局，也叫章法。作品的布局以"统一、变化、整齐、新款"为总的要求，章法好的更能为作品起到锦上添花的作用。

在作品中，每一行字，尤其是楷书，要字字上下对正。也就是要求每个字的中心都要在格子的中心线上，每行才会端端正正，不偏不倚。各行之间，以右管左；每行之内，以上管下。也就是说，每个字的大小、轻重、形态，都受到上字与右字的影响与约束。在作品的某一局部，既不可因字太大、太重而显得拥挤，也不因字太小、太轻而格外空荡。在整幅作品之内，各字虽各自的形状、大小不同，但不可出现特大、特小、特轻、特重等极为显眼的字，从而达到统一的效果。

　　作品中正文的第一个字可比其它字稍大或稍重，以统领全篇。作品中正文的最后一字也要相应处理，以便首尾呼应。这一特征在少字数作品和对联作品中尤其重要。同时，以风格统一为原则，字体统一，用笔方法统一。并在此基础上求变化，应大小相间，轻重有别，形态各异，疏密有致。尤其是要做到同形求变，相同的笔画、部首，相同的字连续出现在一幅作品中时，要根据变化方法，大胆变化以达到千姿百态的艺术效果。在统一中求变，在变化中达到新的统一。

　　字是固定的，而布局是灵活多变的。根据正文的具体情况，采取不同的作品形式，以寻求最佳的布局。但作品的好坏，最根本的还是写好每一个字。字不好，再好的布局也不能算是好作品。

第四节　作品的创作

　　初学创作，书写书法作品，应从临帖入手。字帖系历代名家的经典之作，皆是经过千锤百炼的，千百年流传至今，享誉古今，后人多从其入门。我们只有经过较长时间的临习，日积月累，逐渐掌握其总体规律，才有可能进行创作。

　　临帖　其实也是创作的一种形式。临帖创作有节临、全临及集字几类。节临也叫选临，是选择原帖中的某一部分，按作品形式进行临习。全临也叫通临，是从头到尾对照原帖一字不漏地通幅描写。原帖字数不多的便可写成一幅作品；既可重新排列，也可按原帖形式进行临习。临习者对原帖的理解不同，书法水平的不同，临帖作品也是各有特点。

　　集字作品　是从原帖中选择一个一个的字，重新组合成新的内容，而按一定形式写成的全新的书法作品。这比一般的临帖作品难度要大，这些字在重新组合之后，存在一个字与字之间的搭配关系的变化。因此要根据新的搭配关系进行局部调整。当然，这种调整应不改变原字的形态，不改变原帖的风格。也就是我们常说的要忠实于原帖。

　　创作作品　应在熟练地掌握原帖的基础之上进行。创作作品应认真选择内容，确定字体，最好能写出小稿，然后针对小稿进行练习。原帖中有的字，自己非常熟悉的字少练，而帖上没有的字、不熟练的字要多练。在逐字各个击破之后，再通幅练习，此时重点在于字间的搭配、变化，以及相互之间的呼应等。此时还应加上落款的综合练习。通过反复练习，熟练后再用宣纸进行作品创作。初学创作，应多写几张、十几张，甚至更多，直到满意为止；或者从中挑选自己认为最好的那一幅为正式作品。

　　简单地说，创作过程为：选择内容→构思、确定形式→书写小稿→反复练习→综合练习（按作品要求，包括形式、正文、落款）→最后正式进行书写创作。

　　　　附1：集字作品范例

朝阳

　　书写时，"朝、阳（阳）"二字大小基本相等。"朝"字"月"部略低，字形方正。

　　"阳"字，中部稍空，长横斜势，向左伸入耳钩下；斜钩钩头与"日"中间对正；三个撇画有长短、轻重的区别。

清风

　　"清"字方正，中间轻空，有内松外紧之势。"月"略偏右，而横折钩外凸，向左抱内。

　　"風（风）"字上窄下宽，左右长画中部内凹，"虫"笔画匀称。字的主体部分略偏左，斜弯钩略向右展，钩向上，以补右上空间。

军威

　　"軍（军）"字形略长，左右对称，中竖劲挺向下，厚重有力。"曰"略向中靠紧，中部笔画略显紧凑。

　　"威"字上窄下宽，中部紧凑、均匀；左撇、右斜钩外展，以稳定重心。

勤学

　　"勤"字左紧右松。左部笔画均匀、紧凑，右部笔画少而略重，占位较大，左右对比强烈。

　　"學（学）"字上紧下松，上部笔画轻而密集，占位不可太大。"冖"宜平、宜长，以托稳上部。钩部居中，以平衡字的重心。

右部两条词语，在书写中应作适当调整，大小、长短、轻重关系不大准确，不太协调，这与"集字作品"选字有关。

龙马精神

"龍（龙）"字，笔画多，形大，基本为方形字，但作词语中的首字，在书写中还应适当写得粗壮一些。"龍"字结构、笔画以均匀为主，字的外围笔画可适当加重。

"馬（马）"字，形略小，笔画相对"龍"字可略重。"精"字横画可略加重，要丰满浑厚。"神"字形可略大，以稳定词语的尾部。

气贯群山

碑中"贯"较小，书写时应适当扩大。"群"过大，书写时应适当缩小。

"氣（气）"字上窄下宽，钩画右展，"米"部上紧下松，下两点形大，占位较大。

"贯"字上下对正，形较窄长，因此，长横必须长伸以破其太窄。

"群"字横画较多，上下位置略成上松下紧之势，因此，长撇要厚重、斜伸，改变下部的"紧"。

"山"字笔画圆浑厚重，横平竖正。

见贤思齐

　　原碑四个字中，"齐"字分量略轻，主要笔画可以适当加重，与上面三个字相协调。

　　"见（见）"字上窄下宽，厚重有力；末画竖弯钩要在弯斜中求平稳。"贤（贤）"字"臣"部笔画较多，"又"部捺画可适当伸长，"贝"居中。"思"字上小下大，形不长，书写时可适当加重，与"见"字相呼应。"齐"字中部紧凑，撇捺拉开，以让下部向上插入靠紧，笔画适当加粗。

正义之师

　　此词语四个字中，"正、之"二字画少形略小，笔画宜重，特别是"正"字，为四字之首，形可适当扩大，笔画也应适当加重。"正"字笔画均匀。"之"字注意上部三个笔画之间的呼应连带关系。

　　"义（义）"字，形较窄长，下部略宽，横、挑左伸，斜钩右展。上部整齐、匀称，下部略松。

　　"师（师）"字，左窄右宽，左上右下，左紧右松，右部要注意笔画间的呼应，做到"松而不散"。

　　两字作品一般写在三尺或四尺整张宣纸上，长宽比为 2 比 1（即 4 尺×2 尺、3 尺×1.5 尺）。字形特大，每格在 60cm×60cm 左右。笔画应适当加重，粗壮厚重以显颜体风格。落款在两字之间的左侧空处，款字宜少，仅姓名与印章即可。款字可略大于印章。如上图所示。

　　四字作品一般用四尺或三尺整宣的纵向对开，长宽比为 4 比 1。字形较大，笔画略重，注意四字的大小、轻重协调。落款在一、二字或二、三字之间的左侧空处。款字宜少，略小。如右图所示。

天春夕
意水陽
憐一千
芳江山
草明秀

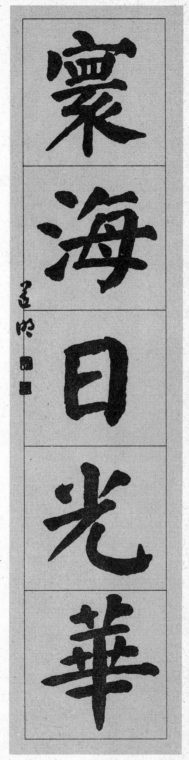

五言联，即每句为五个字的对联，一般写在三尺或四尺整宣上，长宽比为2比1，中间可裁开，即为整宣的一半，分写半联。

对联中的每一个字除了与所在半联的字大小、轻重协调外，还应注意与另半联中相对应的字相协调。对联中第一字与末字（即第十字）应略为突出外，其它字应大小、轻重、形态都有所变化。落款在下联左侧的中上部。

范字中，"夕、千、一、天、人"笔画宜重；"陽（阳）、芳"二字应于斜中求正；"憐（怜）"字右部形大而紧凑；"间"字两长竖略向内靠；"晚"字不可太大。

守
廉
明
月
清

風
際
勤
政
高

山
流
水
間

范字中、"守"字笔画宜重；
"廉"字为异形、形可稍大；"际
(际)"字中部长撇形直、向左插
入耳钩之下、而捺画略向右平
展，"示"略向右偏斜 "勤"字
字形略大；"间"字略大；"流"
字左右之间靠得太紧，右部笔画
排列要匀 "高"字上窄下宽，
下部右展

西南雲氣來　衡嶽日夜江　聲下洞庭庭

范字中，"南"字不宜过大；"气（气）"字注意"米"略向上右方靠拢；"来"字左右对称、捺画重而右伸；"嶽（岳）"下部左小右大，"言"略偏左；"日"字可适当加重增大；"江"字形不可大，笔画也应适当减弱；"洞"字适当缩小，而"庭"字可适当增大

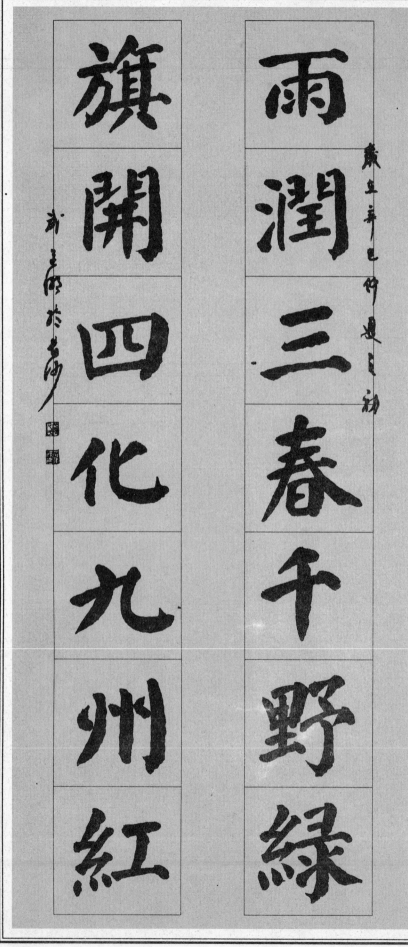

七言联，即每半联为七个字的对联。整联一般用整宣的三分之二，长宽比约为3：1。对联中，每半联的首尾两字，特别是对联中的第一字和第十四字，笔画多的形要大，笔画不能太短；笔画少的形略小，笔画宜重，以求首字领篇，末字收尾。而中间的字则应注意大小、轻重、形状各具变化。落款在下联的第二、三字或第三、四字之间的左侧空隙处。款字不宜过大，与印章大小相适应（如右图所示）。

七言联，也可上下两联并拢（中间不分隔），合写在整宣的半幅之内。其形式近似于条幅，只是落款仍在下联左侧的中部偏上位置。

眾鳥高飛盡

孤雲獨去閒

相看兩不厭

移舟泊烟渚日暮客

愁新野旷天低树江

清月近人

　　五言绝句，共20字，宜用3比1的纸，则分作三行，每行八个字，落款在三行下。款字少，成单行，在行内居中书写；款字多成双行，从右至左（如上图所示）。也可用整宣对开，长宽比为4比1，正文每行11～12字，款字写在正文左侧，款字宜多，从上至下，基本占满一行位置。

　　范字中，"飛（飞）"字上下同形，注意上小下大；"孤"字不可太宽，左右靠紧；"獨（独）"字，右部笔画均匀、紧凑。

朝辭白帝彩

雲間千里江

陵一日還雨

岸　猿　聲　啼　不

住　輕　舟　已　過

萬　重　山

　　"辭（辞）"字笔画多，形应较大；大而方的字还有"间、陵、還（还）、輕（轻）"其中"還"字笔画较匀，长捺略成斜势"啼"字，"宀"注意与"口"的避让；"岸"字横画较短，并向上靠拢；"過（过）"字"咼"部略向左倾斜，与"辶"相呼应

　　七言绝句的作品，初学者多用四尺整宣对开，正文三行，每行 12 字，落款在末行下　也可用四尺整宣的三分之二，落款在末行左侧，另成一行（如 P81 条幅）还可用整宣，写成竖式（如 P81 中堂 2）或横式（如 P81 横幅 3）

① 条幅 （四尺宣的2/3 134cm×67cm）

峨眉山月半輪秋影入平羌
江水流夜發清溪向三峽思
君不見下渝州

② 中堂 （四尺整宣 134cm×67cm）

月落烏啼霜滿天江
楓漁火對愁眠姑蘇
城外寒山寺夜半鐘
聲到客船

張繼楓橋夜泊

③ 横幅 （四尺整宣 134cm×67cm）

朝辭白帝彩雲間千
里江陵一日還兩岸
猿聲啼不住輕舟已
過萬重山

颜真卿《颜勤礼碑》（局部）

中大夫殷英
童女英童集
昨颜郎是也

金鄉
男右
高鄉

仁厚
有吏
使材

富平
尉真
長

颜真卿《颜勤礼碑》（局部）

文
馆
淄
川
司

馬
炮
歸
善
草

書
胤
山
今
茂

部　文　時

爲　館　爲

天　學　崇

　　　　賢

冊　士　弘

府　禮

颜真卿《颜勤礼碑》（局部）

雅　十　延
傳　餘　當
云　首　和
初　溫　者
君　大　二

德义恭令於

通事舍人膂

学士弟太子

颜真卿《颜勤礼碑》（局部）

清白名闻七

为宪官官九为

省官荐为节